C0-AWU-130

दाई के तालाब

लेखन : अनुपम मिश्र

चित्रांकन : प्रशान्त सोनी

कुछ समय पहले तक दरभंगा एक समृद्ध राज्य था। वहाँ के राजा बड़े लोकप्रिय थे। राज्य में लोग सुख-शांति से जीवन बिताते थे। कई बड़ी नदियाँ राज्य से होकर बहती थीं। इसके बावजूद दरभंगा में कई बार गर्मियों में पानी की थोड़ी कमी होने लगती थी। इसे छोड़ कर वहाँ के लोगों को कोई विशेष कष्ट नहीं था। जो मेहनत मज़दूरी करते थे, उन्हें भर-पेट भोजन मिल जाता था और राज्य में काम और व्यापार फल-फूल रहा था।

राजा का एक विशेष सलाहकार था जो उन्हें समय-समय पर अच्छी सलाह देता था और राज-काज को सुचारू रूप से चलाने में सहायता करता था। लेकिन वह व्यक्ति राजा से कोई भी वेतन नहीं लेता था। यहाँ तक कि वह अपनी छोटी सी झोंपड़ी से महल तक भी पैदल चल कर जाता था। राजा से विचार-विमर्श के बाद वैसे ही पैदल घर आ जाता था। उसने कभी भी राजा से या किसी अन्य व्यक्ति से कुछ नहीं माँगा और न ही किसी प्रकार की कोई याचना की।

इसी कारण लोग उसे अयाची पंडित के नाम से पुकारने लगे थे। अयाची यानि जो कोई भी याचना या माँग न करे।

अयाची पंडित का यश काफी फैल गया और एक दिन उनका ब्याह भी हो गया। लोगों ने सोचा कि अब तो पंडित को राजा से कुछ न कुछ लेना ही पड़ेगा। परन्तु ऐसा नहीं हुआ। अयाची पहले की ही भाँति अयाची रहे। उन्होंने न तो राजा से और न ही लोगों से कुछ लिया। उनका जीवन शिक्षण-प्रशिक्षण में ही बीत रहा था। कुछ समय बाद उनके यहाँ संतान के आने की घड़ी आई। उन्होंने पास के गाँव से एक दाई को बुलवा भेजा। अयाची के यहाँ बेटा हुआ। जब दाई यह समाचार सुनाने अयाची के पास पहुँची और अपना मेहनताना माँगा तो पंडित ने अपने झोले में हाथ डाला। झोले में कुछ न पा कर उन्होंने दाई को पास बुला कर उसके कान में कुछ कहा। दाई खुश होकर वहाँ से चली गयी।

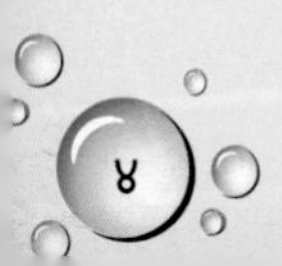

गृहस्थी बढ़ने के बाद भी अयाची ने किसी से कुछ न माँगा। वे पहले की ही भाँति राजा के पास जाते और कार्य संपन्न होते ही लौट आते।

एक बार वे किसी काम से कहीं बाहर गए हुए थे कि राजा के यहाँ से बुलावा आया। जब सिपाही ने अयाची के घर का द्वार खटखटाया तो उनके बेटे ने द्वार खोला। वह कोई पाँच-छः वर्ष का रहा होगा। सिपाही ने उससे अयाची पंडित के बारे में पूछा। उसने कहा कि वे घर पर नहीं हैं। सिपाही ने जानना चाहा कि अयाची कब लौटेंगे। उत्तर में उनके पुत्र ने कहा कि वह नहीं जानता कि उसके पिता कब लौटेंगे। और फिर उसने सिपाही से प्रश्न किया कि किस कार्य के लिए राजा ने अयाची पंडित को बुलवा भेजा था। सिपाही का उत्तर था कि काम उससे नहीं उसके पिता से था।

सिपाही ने जा कर राजा को सूचना दी कि अयाची पंडित घर पर नहीं थे। राजा ने उसे फिर से जा कर यह पता लगाने के लिए कहा कि अयाची गए कहाँ हैं?

सिपाही पुनः अयाची के घर पहुँचा। पुनः उसी बालक से बात हुई और पुनः उस छोटे से बालक ने पूछा कि आखिर काम क्या था? बालक सिपाही से बोला कि वह राजा से कहे कि अयाची पंडित का पुत्र पूछ रहा था कि किस कार्य के लिए राजा उसके पिता को बुला रहे थे?

सिपाही ने डरते-डरते राजा से यह बात कही। राजा ने पूछा कि अयाची का पुत्र कितना बड़ा है तो सिपाही ने हाथ के इशारे से दिखलाया कि कोई पाँच-छः वर्ष का होगा। राजा थोड़ा असमंजस में पड़ गए पर फिर उन्होंने सिपाही से उस बालक को दरबार में लाने को कहा। सिपाही फिर से अयाची पंडित के घर गया और बालक को अपने साथ दरबार में ले कर आ गया।

दरबार में राजा के पूछने पर उस बालक ने अपना नाम बताया और यह भी कि वह पाँच वर्ष का था। उसने संस्कृत में राजा को यह भी बताया कि वे उसे नन्हा बालक न समझें, उसे तीनों लोकों का ज्ञान है। राजा उसका आत्मविश्वास देख कर खुश हुए। पर भरे दरबार

में इस छोटे बालक से अपनी समस्या वे कैसे कहते, वे उसे महल के भीतर ले गए और उस के सामने अपनी समस्या रखी। बालक ने ध्यानपूर्वक सुना और फिर अपनी समझ के अनुसार हल बतलाया। राजा चौंक उठे। इतने नन्हे से बालक ने उनकी समस्या का समाधान खोज निकाला था! उन्होंने बालक के अंगवस्त्र को, उस अंगोछे को जिसे उस बालक ने ओढ़ रखा था, सोने के आभूषणों और मोहरों से भर दिया।

जब एक दिन बाद अयाची पंडित घर लौटे तो उनकी पत्नी ने इस घटना के बारे में बताते हुए उन्हें सोने का वह ढेर दिखाया। पत्नी ने उन से कहा कि स्वयं पंडित तो कभी भी राज दरबार से कुछ कमा कर नहीं लाये परन्तु उनके पुत्र ने इतनी कच्ची आयु में ही अपनी पहली कमाई कर ली थी। इतना सुनते ही पंडित ने उस दाई को बुलवा भेजा जिसे उनके पुत्र के जन्म के समय भी बुलवाया गया था। दाई जब आई तो अयाची ने उसे सोने के आभूषणों और मोहरों से भरा वह अंगोछा दिखाया और कहा कि वह पूरे का पूरा उसका था,

क्योंकि वह उसके पुत्र की पहली कमाई थी। दाई को याद आया कि अयाची पंडित ने उस के कान में कहा था कि काम के लिए उनके पुत्र की पहली कमाई दाई को दी जाएगी।

इतना धन देख कर दाई के तो मानो होश ही उड़ गए। कुछ देर बाद सँभल कर दाई ने अयाची पंडित से कहा कि वह सारा धन राजकोष से आया था, इस कारण उस पर राज्य के लोगों का भी अधिकार था। और फिर उसने धन का ऐसा उपयोग करने की सोची जिससे सभी लोगों को उसका लाभ मिल पाए।

अगले कुछ समय में दरभंगा के उस क्षेत्र में लगभग ६३ तालाबों का निर्माण हुआ जिनसे वहाँ के निवासियों को बहुत लाभ हुआ। वे सारे तालाब आज भी दाई के तालाब के नाम से जाने जाते हैं!

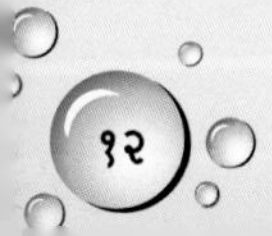

ज्ञान की बूँदें

कहा जाता है कि अयाची पंडित मिथिलांचल यानि आधुनिक उत्तरी बिहार के प्रसिद्ध विद्वान थे। माना जाता है कि उनके पुत्र शंकर ने अपनी सूझ-बूझ से बड़ी ख्याति प्राप्त कर ली थी। इस अंचल में कई तालाब बने हुए थे ताकि लोगों को पूरे वर्ष पानी मिलता रहे।

पुराने ज़माने में भारत के हर भाग में वर्षा के पानी के संचयन का अपना एक अनूठा तरीका था। अत्यधिक सूखे क्षेत्रों के लोगों को भी कुओं, तालाबों और ऐसे अन्य स्रोतों से पीने और खेती के लिए पानी मिल जाता था, जो सैंकड़ों वर्ष पहले बनाये गए थे। प्राचीन भारत भर में पानी संग्रह करने के कई तरीके प्रचलित रहे हैं, जैसे सीढ़ी-दार तालाब, कुएँ और पोखर। कुछ अच्छे उदाहरण हैं राजस्थान में पुष्कर का तालाब और फ़तेहपुर शेखावटी की बावली, गुजरात में अडालज का वाव और कर्नाटक में प्राचीन विजयनगर के अवशेषों में स्थित तालाब।

हिम से पानी तक

पानी के संचयन का एक तरीका है ज़िंग, जो लद्दाख में पाया जाता है। ज़िंग एक पानी का हौज़ सा होता है जिसमें बर्फ पिघल-पिघल कर जमा होती रहती है। कई सारी नालियों से होता हुआ यह पानी ज़िंग तक पहुँचता है। दिन में सूर्य की गर्मी से बर्फ पिघलती है और दोपहर बाद पानी की धाराएँ बहने लगती हैं। शाम तक यह पानी ज़िंग में जमा हो जाता है, जिसे लोग अगले दिन प्रयोग में लाते हैं।

पानी के लिए प्याला और तश्तरी

कुण्ड या कुण्डी देखने में किसी तश्तरी में रखे हुए उलटे प्याले से दिखते हैं। इनमें वर्षा का पानी संचित होता है जिसे पीने के काम में लाया जाता है। पश्चिमी राजस्थान के थार मरुस्थल और गुजरात के कुछ भागों में ये कुण्ड या कुण्डियाँ पाई जाती हैं।

पुराने पर दमदार

राजस्थान में कदीन, तालाब, नाड़ी और एनिकट आदि पानी संचयन की प्रणालियाँ चार से आठ शताब्दियों पहले से प्रचलन में रही हैं। आधुनिक युग में सीमेंट से बनी पानी संचयन और प्रसार की प्रणालियों के मुकाबले यह आज भी मज़बूत हैं।

१०० मीटर तक पानी पहुँचाना

मेघालय में सरिताओं या जल-धाराओं के पानी को बाँसों के ज़रिये दूर-दूर तक ले जाने का तरीका प्रचलित है। धारा के मुहाने पर १८-२० लीटर पानी

प्रति मिनट की दर से बाँस की इस प्रणाली में घुसता है और कई सौ मीटर दूर जा कर प्रति मिनट केवल २०-८० बूँदों के रूप में पौधों को सींचित करता रहता है। २०० वर्ष पुरानी इस 'ड्रिप सिंचन' प्रणाली का प्रयोग खासी और जैंतिया पहाड़ों के निवासी अपने काली मिर्च के खेतों में करते आये हैं।